MIAOU

À tous les amis de Pat le chat!
Mathieu 6:14
— J.D. et K.D.

Catalogage avant publication de Bibliothèque et Archives Canada

Dean, Kim, 1969-
[Pete the cat and the missing cupcakes. Français]
Le mystère des petits gâteaux / Kimberly Dean et James Dean ; texte français d'Isabelle Montagnier.

(Pat le chat)
Traduction de : Pete the cat and the missing cupcakes.
ISBN 978-1-4431-6046-9 (couverture souple)

I. Dean, James, 1957-, auteur, illustrateur II. Titre.
III. Titre: Pete the cat and the missing cupcakes. Français

PZ23.D407Mys 2017 j813'.6 C2017-900461-1

Édition publiée par les Éditions Scholastic, 604, rue King Ouest, Toronto (Ontario) M5V 1E1
avec la permission de HarperCollins Publishers.

5 4 3 2 1 Imprimé au Canada 119 17 18 19 20 21

Typographie : Jeanne L. Hogle

L'artiste a réalisé les illustrations de ce livre au crayon et à l'encre ainsi qu'avec des aquarelles et de la peinture acrylique sur du papier pressé à chaud de 300 lb.

Pat le chat

Le mystère des petits gâteaux

Kimberly et James Dean
Texte français d'Isabelle Montagnier

SCHOLASTIC

LAIT

Pat et Otto sont très occupés.
Ils préparent un grand goûter!

Ils font des petits gâteaux pour leurs amis.
Pat et Otto les comptent quand ils ont fini.

Un, deux, trois, quatre, cinq, six, sept, huit, neuf, dix!

OH NON! ATTENDS!

Il y avait dix gâteaux avant!

Pat et Otto sont sûrs d'avoir bien compté.

Pat dit :
— On devrait peut-être recommencer!

Ils recomptent les petits gâteaux très vite.

Maintenant, il n'y en a plus que huit!

Il semble que deux gâteaux
aient été pris.
MAIS PAR QUI?
Pat et Otto sont tristes.

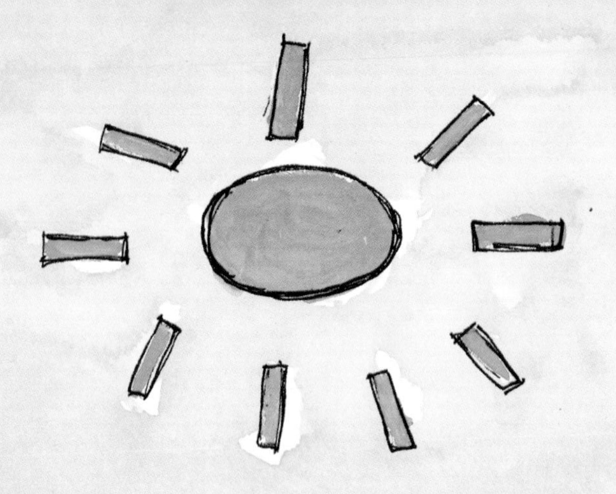

Mais ils trouvent une piste!

Otto dit :
— Regarde ce que j'ai trouvé!
Des perles sucrées à nos pieds!
Le coupable est sûrement Henri,
il adore toutes les sucreries.

Henri proteste :

— Ce n'est pas moi!
Je suis innocent!
Je participais à un concours de chant.

— Oh non! Venez voir!

CETTE AFFAIRE EST FARFELUE!

Il manque deux gâteaux de plus!

Au début, il y en avait dix.
Il n'en reste plus que six.

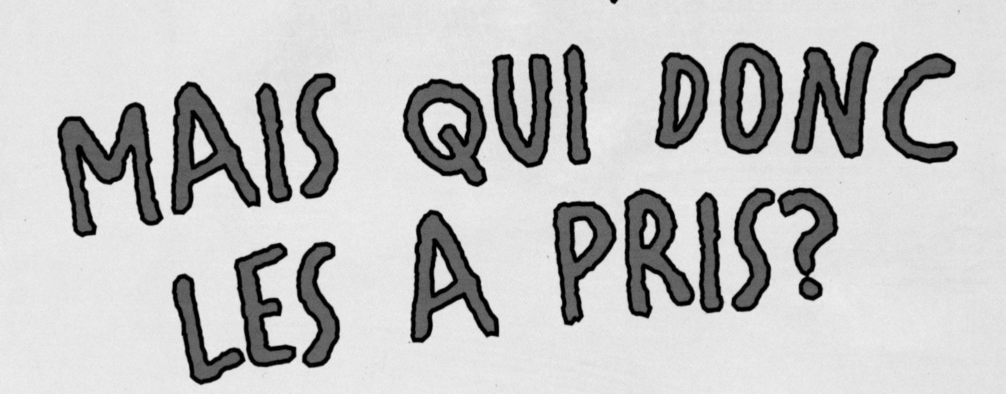

MAIS QUI DONC LES A PRIS?

Pat et Otto sont si tristes.

Mais ils trouvent
une nouvelle piste!

Pat dit :
— Je parie que c'est Victor qui les a volés. Cet alligator adore manger!

Victor proteste:
— Ce n'est pas moi,
je le promets!
J'étais en train d'apprendre
l'alphabet.
— Oh non! Venez voir!

D'autres gâteaux ont disparu!
Quelqu'un en a pris deux de plus!

MAIS QUI?

Pat et Otto sont tristes.
Mais ils trouvent une autre piste.

— Je parie que c'est Lulu, dit Pat agacé.
Cette petite gourmande adore le sucré!

Lulu proteste :

— Ce n'est pas moi!
Je suis innocente!
De plus, vous savez
que je suis trop lente!

— Oh non! Venez voir!

Que se passe-t-il donc ici?
Tous les gâteaux sont

PARTIS!

Pat et Otto sont tristes.

Ils cherchent
une autre piste.

Ils trouvent Gaston le bougon;
il a du glaçage sur le museau.
Pat et Otto ont résolu le mystère
des petits gâteaux.

— Je suis tellement désolé!
C'est moi qui les ai mangés!
Après avoir goûté le premier,
je n'ai pas pu m'arrêter!

Tout le monde pense que Gaston mérite d'être puni.

Pas question qu'il vienne au goûter aujourd'hui.

Pat n'est pas d'accord. Il dit :

— Gaston a fait une erreur, il l'a avouée. Donnons-lui l'occasion de se racheter!

Pat dit à Gaston :

— Nous t'accordons une deuxième chance.

Gaston, tout joyeux, fait des bonds immenses!

Le goûter est un succès. Il y a beaucoup de gâteaux!
Cette fois, Gaston en a apporté beaucoup plus qu'il n'en faut!

GOÛTER GOURMAND
de Pat le chat

MIAOU